Mélanie
la pirate

Stéphane Descornes • Mérel

Rachid le timide

Mélanie la chipie

Pacha le chat

Pascale la géniale

Arthur le gros dur

ES-tu prêt pour une nouvelle aventure ? Eh bien, commençons !

Ah, j'y pense : les mots suivis d'un ☼ sont expliqués à la fin de l'histoire.

C'est mercredi. Gafi et ses amis
se promènent dans le musée.

Les visiteurs s'arrêtent devant un tableau
immense : une scène de bataille au temps
des pirates.

4

Rachid s'approche de l'image et s'écrie :
– Eh, regardez. Ici... c'est Mélanie !

– Mais oui, on dirait que c'est moi !
s'exclame Mélanie, étonnée.

– Incroyable, dit Pascale. Tu dois avoir
une ancêtre pirate !

– Et si on allait voir ça de plus près...
propose Gafi.

Soudain, ils sont tous aspirés...
à l'intérieur du tableau !

Les enfants et Gafi se retrouvent
sur un grand bateau, en plein abordage.

De tous les côtés, des marins se battent
contre une bande de pirates déchaînés !

Le capitaine du navire attaqué arrive,
en hurlant :

– Pas touche à mon bateau… Maudits
bandits ! Te voilà donc, Mélanie la pirate !

Mélanie se défend :

– Non, non. Moi je suis, euh, la VRAIE
Mélanie…

– C'est notre amie, explique Arthur.
Nous, on n'aime pas les pirates !

Le capitaine se radoucit :

– Alors, aidez-nous, si vous pouvez,
supplie-il. Ces voleurs vont piller
notre cargaison et nous jeter à la mer !

Gafi déclare :

– D'accord, on va vous aider !

Tout le monde se lance
dans la bataille !

13

À l'attaque ! Arthur se rue dans la bagarre, prêt à en découdre. Mélanie le suit, armée d'un balai-brosse.

Rachid, plus prudent, préfère se cacher
dans un tonneau.

Soudain Mélanie se retrouve nez à nez
avec... Mélanie la pirate !
– Par l'enfer ! crie la pirate. Elle a pris
mon visage ! C'est une sorcière !
Attrapez-là ! Et ses complices aussi !

Rien ne va plus ! Très vite, deux pirates
capturent Mélanie et Pascale.
Arthur, lui, est ficelé et poussé sur
une planche pour être jeté à la mer !

Gafi décide d'intervenir.

Il saute sur un boulet de canon et survole
les pirates en leur faisant peur :

– Hooou !!! Je suis le fantôme de ce navire.
Vous m'avez réveillé ! Hoouuuu !!!

Ça marche : les pirates sont terrorisés !

Les pirates relâchent les prisonniers,
et se rendent. Le capitaine et les marins
sont fous de joie :

– Hourrah ! Vous nous avez sauvé la vie !

– Qu'allez-vous faire des pirates et de leur
chef ? demande Mélanie.

– Les abandonner sur une île déserte,
tonne le capitaine, c'est la loi de la marine !

23

Après de brefs adieux aux marins,
nos amis ressortent du tableau.

– Ouf ! soupire Rachid. On est quand même
mieux dans notre époque !

Mais, Gafi s'exclame :

– Aïe, regardez... Sans le vouloir, on a
modifié l'image !

Et voilà le gardien, qui arrive en hurlant :
– Pas touche à mon tableau ! Maudits
bandits !

c'est fini !

Certains mots sont peut-être difficiles à comprendre. **Je vais t'aider !**

Ancêtre : personne d'une famille qui vivait il y a longtemps, avant les grands-parents.

Abordage : attaque donnée en montant sur un bateau.

Cargaison : marchandises transportées par un bateau, un avion ou un camion.

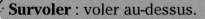

Survoler : voler au-dessus.

27

A l'abordage !

1 - Trouve les anomalies dans l'image.

Réponse : le robinet sur le mât ; les lunettes de soleil de Pacha ; les 3 bras de Mélanie la pirate : les patins à roulettes du pirate au foulard rouge ; la fleur tenue par le pirate au foulard vert.

28

**2- Trouve les pièces d'or cachées ;
elles forment un mot : lequel ?**

Mémoire de corsaire !

**Regarde attentivement l'image
page 23. Referme la page
et de mémoire, réponds
à ces questions :**

1- Combien y-a-t-il de pirates attachés ?

2- Quelle main tend le capitaine ?

3- Combien y-a-t-il de palmiers sur l'île ?

4- De quelle couleur est le collier
de Mélanie la pirate ?

réponse : Pour connaître les réponses, va voir en page 23 !

Qui est qui ?

Observe bien ces pirates et trouve leur nom.
Pour t'aider, tu peux lire les noms à voix haute.
Sissi Catrice, Jean Bambois, Anna Quinneuille,
Ric Roché, Pépé Rocké.

réponse : 1, Jean Bambois ; 2, Pépé Rocké ; 3, Ric Roché ; 4, Sissi Catrice ; 5, Anna Quinneuille.

31

Dans la même collection
Illustrée par Mérel

 Je commence à lire

 Je lis

 Je lis tout seul

Directeur de collection et conseil pédagogique :
Alain Bentolila

Jeux conçus par Georges Rémond

© Éditions Nathan (Paris-France), 2009
Loi n°49956 du 16 juillet 1949
sur les publications destinées à la jeunesse
ISBN 978-2-09-252236-3
N° éditeur : 10154099 - Dépôt légal : avril 2009
imprimé en France